编委会

主　编：郭　熙

编写者：（按姓氏音序排列）

丁雪欢　顾　红　郭楚江　郭　熙

胡建刚　张凤芝　张训涛

七彩中文

智慧推理

QICAI ZHONGWEN

郭 熙◎主编

暨南大學出版社
JINAN UNIVERSITY PRESS

中国·广州

图书在版编目（CIP）数据

七彩中文．智慧推理/郭熙主编．—广州：暨南大学出版社，2021.9
ISBN 978－7－5668－3137－8

Ⅰ.①七…　Ⅱ.①郭…　Ⅲ.①汉语—对外汉语教学—教材　Ⅳ.①H195.4

中国版本图书馆 CIP 数据核字（2021）第 077773 号

七彩中文：智慧推理

QICAI ZHONGWEN：ZHIHUI TUILI

主　编：郭　熙

出 版 人：张晋升
策划编辑：李　战
责任编辑：黄　颖　黄少君
责任校对：黄　球　黄晓佳
责任印制：周一丹　郑玉婷

出版发行：暨南大学出版社（510630）
电　　话：总编室（8620）85221601
营销部（8620）85225284　85228291　85228292　85226712
传　　真：（8620）85221583（办公室）　85223774（营销部）
网　　址：http：//www. jnupress. com
排　　版：广州市天河星辰文化发展部照排中心
印　　刷：佛山市浩文彩色印刷有限公司
开　　本：787mm×1092mm　1/16
印　　张：20
字　　数：300 千
版　　次：2021 年 9 月第 1 版
印　　次：2021 年 9 月第 1 次
定　　价：128.00 元（共三册）

前言

PREFACE

随着中国社会各方面的快速发展，作为祖语传承的中华语言文化教育越来越受重视。多年来，以海外华校为主要路径的华文教育取得了很大的成就。为支持海外华校的华文教育，有关方面编写出版了不少华文教材，也在努力推动华文教材的多样化，以适应不同的需求。但是由于海外华文教育对象复杂，现有教材不能满足广大海外中文学习者的需要。

另外，作为祖语教育，单靠课堂和课本是难以完成的。现实的一个突出问题是缺乏阅读资源，尤其是中学阶段的祖语生。华裔祖语生的一个特点是家庭使用华语或者家长会华语，不少祖语生已经掌握了基本的语音系统和语法系统，但是在词汇和阅读方面需要补充和巩固，而这些任务现有的教材是没有办法完成的。

鉴于此，我们特意编写了这套《七彩中文》读本，作为海外华裔祖语生的课外读物，其他中文学习者如果达到相应的水平，也可以使用。我们希望能够通过这套读物，提升海外华裔学生和其他中文学习者对华文的兴趣，对中华文化有更深的了解，能够形成自主开展华文学习的习惯，提升学生的华文水平。

参与编写这套《七彩中文》的作者，长期从事海外华文教学和研究，参与了中国国务院侨务办公室组编的《中文》（初中版）的编写，对海外华裔祖语生学习情况有较为深入的认识。在编写过程中，我们选取了大量优秀的文章和故事，也有一些文章是我们自己撰写的。编写海外华裔学生的读物是我们进行的一次尝试，我们希望在此基础上广泛征求意见，为海外华裔学生编写出更加适合的课外读物。

这套读物策划和编写于《中文》（初中版）的编写完成之后，因种种原因未能及时推出。它最终能够出版得益于暨南大学出版社李战副总编辑的不懈努力。暨南大学出版社社长张晋升教授给予了大力支持，林璐女士绘制了精美的插图，责任编辑黄颖、黄少君女士在编校中做了大量的工作，使得这套书的质量得以保证，国家语委海外华语研究中心给予了经费支持。在此一并表示感谢。

郭　熙

2021 年 6 月 28 日

目录
CONTENTS

上

中

下

上

SHANG

1 简单和复杂

小丁去一位朋友家做客，吃完饭朋友出了一道题：“有四条小虫排（pái）（queue up）成一条直线往前走，排在最前面的虫子说，它的后面有三条虫；排在第二位的虫子说，它的后面有两条虫；排在第三位的虫子说，它后面有一条虫；而最末尾的虫子却说它的后面有三条虫。这是怎么回事？”

小丁想了半天，却一无所获(yī wúsuǒhuò)①，最后只好认输。

那位朋友笑着对小丁说，其实答案很简单，因为——最后那条虫子在撒(sā)谎(huǎng)②。那位朋友又说，这是给六岁孩子出的考题，没有难住孩子，却差不多难住了所有的大人。

动脑筋

1. 最末尾的虫子说它的后面有三条虫，这是怎么回事？
2. 六岁孩子会做的题目，为什么却难住了大人们？

① 一无所获：没有一点收获。
② 撒谎：不说实话，骗人。

2 一片飞翔①的叶子

(fēi xiáng)

一阵风吹来，一片叶子脱离②(tuō lí)了树枝，飞向了天空。

“我会飞了，我会飞了。”叶子边飞边喊，“我要飞上天了！”

叶子飞呀飞呀，飞过了一棵棵树，飞过了一只只停落在树枝上的鸟。

① 飞翔：飞。

② 脱离：离开。

"哈哈，我飞得比你们高！"叶子得意扬扬地对鸟儿说。

又一阵风吹过，叶子在天空中打了几个旋（xuán）①，被吹落到了一个小水坑里，立即又被路过的一头牛踩进了烂泥里，不见了踪影。

一只鸟感叹地对它的孩子说："看到了吧，如果不依靠自己的力量，风既可以把你吹上天，也可以把你吹进烂泥坑。要飞翔，必须靠自己的力量。"

（根据《家教世界》2011 年第 6 期同名文章改编）

动脑筋

1. 一个人要成功，最重要的是什么？是别人的帮助，还是自己的能力？
2. 你觉得朋友对你的帮助像什么？

① 旋：（转）圈。

3 表扬与埋怨

有两个钓鱼的人，各钓到两条鱼回家。甲的妻子看了，埋怨地说：“怎么只钓到两条？”

甲一听，心中很不高兴：你以为鱼很好钓到吗？第二天他故意空手回家，让妻子知道钓到鱼是件不容易的事情。

乙遇到的情况恰好相反，他的妻子见他带回两条鱼，欢喜地说：“咦，你竟然钓到两条鱼！”

乙听了心中很是喜悦(xǐ yuè)①，心想两条算得了什么！第二天他带回了四条！

一句赞扬(zànyáng)②的话和一句埋怨的话，引出了两种不同的结果。

动脑筋

1. 甲第二天为什么一条鱼都没钓到？
2. 乙第二天为什么能钓到四条鱼？

---

① 喜悦：高兴。
② 赞扬：表扬、夸奖。

4 语言机智故事二则

（一）

有个人在市场上买了两只外国鹦鹉（yīng wǔ）（parrot），准备送给他的朋友，并且事先把这事打电话告知了朋友。没想到第二天鹦鹉死了一只，他很伤心，怎么办呢？想了半天，他决定再买一只本国鹦鹉，凑（còu）[1]成一对。

① 凑：合在一起。

朋友一见，果然高兴。把玩(bǎ wán)①了一会儿，突然发现有一只是本国的。

那人吓了一跳，但他马上回答道："……"

（二）

有一位导游陪同旅游团到一个历史名城参观。

游客问："请问有什么大人物诞生(dànshēng)②在这个大城市吗？"

导游一下子茫然(mángrán)③了，因为他根本不知道。但他非常机敏(jī mǐn)（witty）地说："不！先生，这个城市里诞生的都是婴儿。"

旅游团里的人听了哈哈大笑。

动脑筋

1. 想一想，那人会怎么回答他朋友的问题？
2. 你有好玩的语言机智故事可以跟同学们分享吗？

（答案：那只外国鹦鹉第一次出国，这只本国鹦鹉是它的翻译。）

① 把玩：拿在手里玩。
② 诞生：出生。
③ 茫然：完全不知道的样子。

5 孔子曰（yuē）[1]：“可口可乐好极了！”

一次，在北京香山饭店，一位青年书法家正当众挥笔写字。围观者很多，前来求字的人也不少。

突然，在场的一位美国可口可乐公司的部门经理也要求给他写一幅字，而且提出了书写的内容——孔子曰：“可口可乐好极了！”

① 曰：说。

这个要求让青年书法家为难极了，两千多年前的孔老夫子可从没喝过“可口可乐”啊。

他实在无法下笔。可要是不写呢，显然会让那位美国朋友扫兴(sǎoxìng)①。他知道那位美国朋友并无恶意，只是文化观念不同而已。正当青年书法家不知如何是好时，他的老师在一旁鼓励(gǔ lì)（encourage）他说：“大胆写，没关系！”他只好照写了。

写完后，老师又让他加上一行字——一位美国朋友的梦想。青年书法家顿时(dùn shí)②明白了老师的用意，他很快完成了这幅书法作品。

在场的观众都叹服(tàn fú)③于书法家师生的这一招儿(zhāor)④，连那位美国朋友也乐了。

（根据《市场报》2007 年 4 月 4 日同名文章改编）

动脑筋

1. 面对美国朋友的要求，青年书法家为什么为难极了？
2. 这位美国朋友的梦想是什么？

---

① 扫兴：因为不愉快的事情而不开心。
② 顿时：立刻。
③ 叹服：赞叹而且佩服。
④ 招儿：办法。

6 门

学校大厅的门又被踢破了。

——可怜的门。自安上那天起，几乎没有一天不挨踢。十三四岁，正是孩子淘气（táo qì）（naughty）的年龄。用脚开门，用脚关门，早已成了不足为奇（bù zú wéi qí）[1]的大众行为。

教导主任为此伤透了脑筋（shāng tòu le nǎo jīn）[2]，他曾在门上贴过各种各样的警示语（jǐng shì yǔ）（warning signs），什么"足下留情""我是门，我也怕痛"，诸如此类（zhū rú cǐ lèi）（and so on），可是都不管用。他找到校长说："干脆换成铁门吧。"校长笑了，说："放心吧，我已经定做了最坚固（jiān gù）（solid）的门。"很快，破

---

① 不足为奇：不让人感到奇怪。

② 伤透了脑筋：很头疼。

门拆下来，新门装上去了。

新门似乎很有人缘（yǒurényuán）[①]，装上以后居然没有挨过一次踢。孩子们走到门口，总是不由自主地放慢了脚步。

这——是一道玻璃门。

（根据网络文章改写）

动脑筋

1. 校长说：“我已经定做了最坚固的门。”这最坚固的门是什么门呢？
2. 新门装上以后居然没有挨过一次踢，你觉得是为什么呢？

① 有人缘：受欢迎，被人喜欢。

7 儿子三岁

为了让儿子记住自己是农民的后代，爱自己的故土，我为他取名叫禾禾。

禾禾三岁就喜欢问这为什么，问那为什么。我们常常答不上来，就让他自己找答案。

一天，他久久注视（zhù shì）[1]着一棵小树问：“为什么小树不会走路呢？”

“喔，因为它只有一条腿，我有两条腿，太好了。”

① 注视：注意地看。

“为什么雨点往下掉，不往上掉呢？”

“因为往下掉有地面接着，地面是它们的妈妈。”

“雨为什么又停了呢？”

“准是下累了。”

“月亮为什么有时胖有时瘦呢？”

“它有时听妈妈的话，好好吃饭；有时淘气，不好好吃饭。”

“大海为什么不停地叫喊呢？”

“有的浪跑得太远，大海叫它们回来。”

“为什么地上的飞机大，天上的飞机小呢？”

“到天上，要像小鸟才飞得快。”

“为什么许多字我不认识呢？”

“它们没有告诉我它们的名字。”

“人为什么有两只耳朵呢？”

“奶奶说，可以一只耳朵进，一只耳朵出。光进不出就装不下了。”

“大熊猫走路为什么都慢腾腾（mànténgténg）[①]的？”

“跟它们的爸爸妈妈学的。”

（根据李肇星《儿子三岁》改编）

动脑筋

1. 作者为什么给儿子取名为“禾禾”？
2. 如果是你的话，怎么回答文中小朋友的问题呢？

---

① 慢腾腾：慢慢地。

8 考演员

有个电影制片厂，要招几名电影演员。消息传出，应考者云集而至(yún jí' ér zhì)①。

导演(dǎoyǎn)②来了，他宣布第一个考试科目，要求做一个小品，题目叫“深夜归来”。他指着现场的一间屋子对大家说，这是单身宿舍，要自己设计动作，表演出深夜归来的情景。

上午十点整，考试开始了。先上场的是一个男青年，他急匆匆推门而入，坐在桌前，从腋下(yè xià)③拿出一本书，非常认真地看着。导演见了，摆摆手，那青年退场了。

紧接着，一个打扮得很漂亮的姑娘羞答答(xiū dā dā)④地走进屋，还没坐定，又忙站起，从提包里掏出一封信，笑眯眯地看着，脸上泛起了红晕。然后，又姗姗(shān shān)⑤走到衣镜前照了照。她演得表情真实，很有分寸。可是，导演还是无动于衷(wú dòng yú zhōng)⑥地摆摆手。女青年也扫兴地退场了。

---

① 云集而至：纷纷来到。
② 导演：组织和指导戏剧或电影的人。
③ 腋下：胳肢窝下。
④ 羞答答：害羞，不好意思。
⑤ 姗姗：走路不紧不慢，从容的样子。
⑥ 无动于衷：一点儿也不动心。

第三个上场的又是一个男青年，他懒洋洋地跨进门，肩上搭着一件衬衣，腋下夹着一个棋盒，一失手（shīshǒu）①，棋子撒了一地，他刚蹲下去要捡，又急忙站起来，回身做了一个动作。导演见了，连声说道："好！这一关你通过了！"

动脑筋

1. 亲爱的读者，您知道第三位考生做了什么动作使导演满意了吗？
2. 第一位和第二位考生各缺少了什么动作？

① 失手：因手没把握好，不小心造成不好的后果。

9 石头的故事

有位拾荒者(shíhuāngzhě)①在野地里捡到了一块石头，那石头怪怪的、沉沉的，他随手把它扔进了袋子里，半路上以十元钱的价格把石头卖给了一个收货郎(shōuhuòláng)②。

那个收货郎呢，一转手又以九十元钱的价格卖给了路边的废品回收站。结果回收站的老板以三百元的高价又卖给了一个小老头。最后那个小老头以一千万元的价格卖给了珠宝商。

这件事很快就引起了轰动(hōngdòng)③，最先经手的几个人都很懊丧(ào sàng)④。第一个人说："那石头是我先捡到的，可我只得到了十元钱。"第二个人说："我以为赚了八十元已经很不错了，想不到吃大亏了。"第三个人则说："嗨，我以为自己占了个大便宜呢！想不到只赚了区区(qū qū)⑤几百元。"

那三个人心里都难以平静，因为好端端地放着千万富翁没当成。他们想找找到底是什么原因使他们与千万富翁擦肩而过(cā jiān'ér guò)⑥，于是他们约来了小老头，大家一起探讨。

---

① 拾荒者：捡拾别人扔掉的废品等物的人。
② 收货郎：回收废品的人。
③ 轰动：同时惊动很多人。
④ 懊丧：后悔。
⑤ 区区：少，小。
⑥ 擦肩而过：比喻遇到好的机会，却没有抓住或得到。

拾荒者说：“我没念过书，缺少知识，只知道它是块怪怪的石头。”收货郎说：“我虽念过两年书，可是书里没告诉我有这么贵重的石头。”回收站的老板说：“书我倒是念了不少，可是没想到这块石头如此珍贵。”最后问到小老头了：“你是怎么知道这石头如此珍贵的呢？”

小老头说：“光研究石头，就花去了我半世人生啊！”众人说：“怪不得你这么有眼光，原来发财的原因是你比我们有更多的知识啊。”

（根据牧羊鼓《石头故事》改编）

动脑筋

1. 拾荒者为什么只以十元的价钱将石头卖给了收货郎？
2. 小老头为什么知道这块石头很贵重？
3. 你认为除了知识外，还有什么是成功的重要条件？

10 米罗虾之死

欧洲有一种米罗虾，世世代代生活在伏尔加河（fú'ěr jiā hé）（Volga River）的最深处，从未见到过一丝阳光。一天，一只米罗虾忽然心血来潮（xīn xuè lái cháo）①，想去浅水区感受一下温暖的阳光，那感觉只听长辈们说过，但它从未真正感受过。

① 心血来潮：指心里突然起了一个念头或想法。

当它独自游到浅水区时，眼前的景象让它感慨万分：依依垂柳（chuí liǔ）（weeping willow），暖暖阳光，周围的鱼儿们自由自在地摇着尾巴，欢快地穿行于青青水草间。它长长地叹了口气，觉得在水下生活实在是太委屈自己了。它决定不回去了，从此就在这里住下。

突然，它的胸口感到了一丝憋闷（biē men）（feel oppressed），还没来得及反应，就昏昏“睡”去了。

那只贪恋（tān liàn）①阳光的米罗虾最后也没有明白：不安于现状没有错，努力改变现状也没有错，但违背（wéi bèi）（violate）规律地刻意改变那就是犯了大忌（fàn le dà jì）（make big fear）了。

（根据郑玉超《米罗虾之死》改编）

动脑筋

1. 那只米罗虾原来住的地方能看到阳光吗？
2. 那只米罗虾为什么会死？
3. 你还知道哪些和米罗虾类似的例子？

① 贪恋：十分喜欢、留恋。

11 一点风的智慧

小镇的老城区开了一家烤鸭店，不论斤卖，论只卖，每只十八元。

我常常路过那家小店，但只是逢年过节或者家里来了客人时才会买上一只。这家店的烤鸭味道不错，香酥（xiāng sū）（crisp）可口，但生意并不是太好，看样子仅能维持（wéi chí）①生活而已。

① 维持：保持原来的样子，使继续存在。

没过多久，我在当地的新城区买了住房。新城区居然也开了一家烤鸭店，每只也是十八元。

一天中午，家里来了客人，我特意赶过去买，没想到这家烤鸭店门口正排着长长的队伍。轮到我时，烤鸭已经卖完了。老板温和地对我们后面的几个人说："要等一个小时才能出锅。"当时已经过中午十二点了，我只好去买了些别的食物。

后来，我特意去买了一只烤鸭品尝，感觉味道和老城区那家店的差不多。几天后，我再去买的时候，新城区的烤鸭已经涨到了二十元一只，但前去购买的人依然（yī rán）①很多。

其实，两家烤鸭店生意好坏不同的道理很简单：老城区的烤鸭店和其他店一样，只是在卖烤鸭；而新城区的烤鸭店在烤鸭箱前放了一个风扇，这样，在做烤鸭的时候，烤鸭散发出的香味就会被吹到街上，本来没打算买烤鸭的人，闻到香味后也会捎一只回去品尝。

有时候，生活就是需要这样一丁点的智慧。

（根据李梅《一点风的智慧》改编）

动脑筋

1. 两家烤鸭店的生意有什么不同？
2. 新城区的烤鸭店为什么在烤鸭箱前放了一个风扇？

① 依然：和以前一样。

12 打翻的鱼缸（yú gāng）（fish tank）

三年级的教室里，同学们正在紧张地进行期中考试，教室最后一排一个小男孩的脸一阵红一阵白。本来他是想等考试完了再去洗手间的，但他没能坚持住。于是，最尴尬的事情发生了，他尿（niào）（urinate）裤子了。小男孩想："这下完了，如果同学们发现，我会被笑死的，怎么办啊？"小男孩的眼中充满了泪水。幸好同学们都在埋头答卷子，没有人发现他的异常。

细心的老师发现了小男孩的不安。他轻轻地走到小男孩的身边，立刻明白了一切。随后，老师不动声色（bù dòng shēng sè）①地端着窗户边的鱼缸走过来，经过小男孩身边时，他"一不小心"打翻了鱼缸，水溅（jiàn）（splash）得小男

① 不动声色：在紧急情况下，说话、神态跟平时一样没有变化，形容非常镇静。

孩满身都是。这突如其来(tū rú qí lái)①的事故惊动了其他同学，大家都回过头看着老师和小男孩。老师连忙向小男孩道歉，并示意(shì yì)②其他同学继续考试。接着，他领着小男孩来到自己的办公室，擦干小男孩身上的水，并给了他一条干净的裤子换上。

小男孩回到教室的时候，穿着一条极不合身的裤子，皮带都系在了胸口上，看上去滑稽(huá jī)③极了，但是没有一个同学嘲笑(cháoxiào)（laugh at；deride；jeer）他，都是对他报以友善和同情的眼神。小男孩心里充满了对老师的感激。

考试结束了，同学们都陆续(lù xù)④离开了教室，小男孩走到老师身边，怯生生(qiè shēng shēng)⑤地说："谢谢您，老师！"

老师拍拍小男孩的头，微笑着说："不要紧，我小时候也弄湿过裤子。"

（根据王豪《打翻的鱼缸》改编）

动脑筋

1. 那个小男孩为什么显得很不安？
2. 老师为什么把鱼缸的水溅在了小男孩的身上？

① 突如其来：突然发生。
② 示意：用动作、表情或图形等表示某种意思。
③ 滑稽：语言或动作等幽默，引人发笑。
④ 陆续：一个接一个。
⑤ 怯生生：胆小害羞的样子。

中

ZHONG

1 恩爱夫妻

很久很久以前，有个强人占领了一座城池。由于怕城里的成年男性进行反(fǎn)攻(gōng)①，就下令处死他们。但他又不想杀太多的人，于是在进城之前发出一条命令：城中妇女皆(jiē)②可免于一死，明天天亮以前，可以携带(xié dài)③自己最珍贵的东西

① 反攻：反击。
② 皆：都。
③ 携带：随身带着。

离开，强人将保证她们的安全。

第二天天还未亮，只见全城妇女人人背上都背着一个沉重的包裹，一个个累得满头大汗，上气不接下气地走出城门。原来，她们身上背的，都是自己的丈夫。

想一想

1. 强人为什么要下令处死城里的成年男性？
2. 这些妇女最珍贵的东西是什么？

2 租房子

有一家人要租房子住，他们挨家挨户(āi jiā āi hù)①地看房子。累了一上午，一家三口还是没有碰到喜欢的。到了下午，他们终于找到了满意的房子。这房子太好了，客厅像客厅，厕所像厕所。

房东出现了，是位老先生。老人说：“租房子，我只有一个条件，那就是我不租给有小孩的家庭。”这对夫妻互相看了看。

“可是你看你们身边的那个是什么呢？”老人问。

老婆抢着说：“是

① 挨家挨户：一家一家（地）。

zhuāng shì pǐn
装饰品（ornament）。”

老公大惊：“老婆?！为了租房你竟然把孩子说成是装饰品?”

jǔ sàng
两人正沮丧①地要离去时，只见小孩又回过头去按门铃。

“叮咚！”老人开了门。

dào
老人笑道②：“啥事啊？装饰品！”

小孩说：“爷爷，我要租房子。”

老人说：“租房子吗？我不租给有小孩子的家庭哦！”

小孩说：“我知道，我只有爸爸妈妈，没有小孩。你可以把房子租给我的。”

老人马上说：“没问题。”

想一想

1. 老人租房子的条件是什么？
2. 老人最后为什么同意把房子租给他们呢？

---

① 沮丧：灰心失望。
② 道：说。

3 tán pàn 谈判（negotiation）

有一位老人，退休后住在学校附近的一间房子里。可不知从哪天起，总有三个男孩放学后在他家门外玩，把一个破垃圾桶踢来踢去，不时发出几声尖叫，玩得非常高兴。

老人受不了这种噪音（zào yīn）（noise）的折磨（zhé mó）[1]，便出去和这些小学生“谈判”。他说：“看到你们踢垃圾桶玩，我很高兴。如果你们每天都来踢，我给你们每人每天一元钱。”三个男孩很高兴，接受了老人的要求，每天准时来表演他们的足下功夫。

过了两天，老人发愁地对他们说：“物价上涨了，我的收入减少了一半，所以从明天起，我只能给你们五毛钱。”孩子们很不开心，但放学后，仍坚持来表演。

一个星期后，老人又愁眉苦脸（chóuméi kǔ liǎn）[2]地说：“最近我没有收到退休金，从明天起，我每天只能给你们两毛钱了。”三个男孩立刻脸色铁青（liǎn sè tiě qīng）（black in the face），连连说：“不干了！不干了！谁会为了区区两毛钱，在这儿浪费宝贵的时间！”

从此老人的房前又恢复（huī fù）[3]了以往的宁静。

想一想

1. 孩子们最后为什么不来老人的房前表演了？
2. 如果你是那位老人，你有更好的办法吗？

① 折磨：使肉体上、精神上受痛苦。
② 愁眉苦脸：形容发愁的神情。
③ 恢复：变回原来的样子。

4 会捕鱼的猪

太平洋中部法考福环礁上生活着一种会捕鱼的野猪，当地人叫它捕鱼猪。按理说猪的行动笨拙（bènzhuō）①，要捕到在水中灵活自如的鱼儿绝非（jué fēi）②易事，那么它到底是怎么捕到鱼的呢？

原来，当捕鱼猪饿了的时候，它便会下到水草茂盛的浅水域里，用长而锋利的獠牙（tusk）在水草中间来回旋荡，不一会儿，就会有一些水草带着一些杂物卷在獠牙上被连根拔起。然后，捕鱼猪仰起头走到河流分汊的静水域里，轻轻地将头深入水中二十五厘米，附近的草鱼及其他鱼类嗅（xiù）③到了草味和泥土的气味，便会向捕鱼猪嘴边聚集过来。

---

① 笨拙：反应慢，动作不灵活，难看的。
② 绝非：一定不是。
③ 嗅：闻。

捕鱼猪每次闭气（bì qì）①的时间在一分钟左右。一分钟后，它会轻轻地把头从水中抬起，吸口气后再轻轻地把头伸进水中。因为每次进出动作都又轻又慢，鱼儿几乎觉察不到周围环境的变化，只顾着捕鱼猪嘴上的水草。当捕鱼猪的头慢慢伸出水面时，有的鱼儿甚至跳起来追咬缠（chán）（tangle）在猪獠牙上的水草。就这样几进几出后，猪獠牙周围便聚集了许多鱼儿，这时捕鱼猪集中全部力量，“嘈”地抬起头，总有几条鱼被捕鱼猪锋利（fēng lì）②的獠牙刺（cì）（puncture；stab）穿身体而串在獠牙上带出水面。然后捕鱼猪快步上岸享用美餐。

野猪捕鱼，如果不事先将水草缠在獠牙上，不等鱼群聚集到一定密度，它捕鱼就不会成功……

（根据《意林文汇》2015 年第 19 期同名文章改编）

想一想

1. 下面是野猪捕鱼的几个步骤，请按顺序重新排列。

（　）下到水草茂盛的浅水域里。

（　）走到河流分汊的静水域里，轻轻地将头深入水中二十五厘米。

（　）用獠牙在水草中间来回旋荡，卷起许多水草。

（　）等獠牙周围聚集了许多鱼儿时，捕鱼猪集中全部力量，刺穿鱼儿身体，将之带出水面。

（　）一分钟后，捕鱼猪会轻轻地把头从水中抬起，吸口气后再轻轻地把头伸进水中。

2. 野猪捕鱼时为什么要事先将水草缠在獠牙上？

---

① 闭气：暂时不呼吸。

② 锋利：（刀刃）尖而快。

5 买 卖

有一天，一个外星人到地球参观，看到地球上有两棵果树，一棵种在欧洲，一棵种在中国，都结了果子。外星人很眼馋(yǎnchán)①，对地球人说：“我要买你们的果子吃。”

地球人说：“好，但你要先确定去哪儿买。到中国去买，一块人民币一个；到欧洲去买，一欧元一个。”

外星人说：“那我用一欧元买一个好了。”

地球人说：“且(qiě)慢(màn)②！其实你不用花钱就可以吃到无数的果子。

① 眼馋：看见自己喜爱的事物很想得到。

② 且慢：先别着急。

你先从中国借一个果子，到欧洲去换一欧元，然后拿这一欧元到中国，就可以买十个果子，把其中一个果子还给中国人，你就白(bái)①得了九个果子。你再拿这九个果子去欧洲换九欧元，再到中国去买九十个果子，再拿这九十个果子去欧洲换九十欧元，再到中国去买九百个果子……”

这就是买卖。

想一想

1. 外星人为什么不用花钱却可以吃到无数多的果子？
2. 这样的买卖可行吗？

---

① 白：没有付出代价的。

6 妙招

（一）

圣诞夜，一大学俱乐部（jù lè bù）（club）门前，一位老人守着两筐大苹果在叫卖。因为天冷，很少有人问津，生意非常冷淡。

一位教授见此情形，上前与老人商量了几句，然后走到附近的商店，买来节日装饰用的彩带，并与老人一起细心地将苹果两个两个地扎（zā）（tie；bind）在一起，接着高声叫道："情侣苹果哟，五元一对！"经过的年轻人听到叫卖声，觉得好奇，都停下了脚步。只见用彩带扎在一起的苹果，在灯光下

看起来很有情趣(qíng qù)①。大家纷纷掏钱购买，不一会儿的工夫，两筐大苹果就全部卖光了。

(二)

一天上午，一个提着皮箱的男人，站在闹市对着天空张望(zhāngwàng)②了很久。

过路的人很好奇，就跟着往天空望，以为天上有什么新奇的东西。没多久，就聚集(jù jí)③了很多好奇的人。

那位男人觉得时机已到，便走出人群，在路边打开皮箱，拿出他要出售的望远镜摆卖(bǎi mài)④。果然生意不错。

想一想

1. 两筐大苹果为什么很快就卖光了？
2. 如果你准备在路边摆卖望远镜，你会用什么办法呢？

---

① 情趣：情调趣味。
② 张望：向四周或远处看。
③ 聚集：集合在一起。
④ 摆卖：摆出来卖。

7 六个苹果的力量

楼上的房主把房子出租给了一对刚走出校门的年轻恋人。打那以后，我和妻子经常听到他们半夜或凌晨（língchén）①把地板踩得咚咚作响的声音；两个人的争吵也是家常便饭，尤其是那个男生的声音，穿透力真是没得说，其间还时不时伴随着往地板上扔重物的声音。三个月下来，由于常常睡不好，我和妻子都变得神经兮兮（shénjīng xī xī）②的。

一天下班，妻子买回一大袋苹果，从中认真地挑选了六个最好的苹果装进另一个塑料袋里。她告诉我说，这几个苹果是要送给楼上那对恋人的。我一听就不乐意了："天天被他们

① 凌晨：从零时起到天亮前的一段时间。
② 神经兮兮：精神非常紧张，像神经有问题一样。

打扰，还给他们送东西干啥？”妻子笑了笑，给我讲了个南风和北风的故事。这是个寓言，说的是南风和北风打赌，要把一个人的棉大衣脱下来。北风用冷风拼命吹，越吹那人把棉大衣裹得越紧；而南风只用柔柔的暖风轻轻地吹，结果那人一热，就把棉大衣脱掉了。听完妻子讲的故事，我似乎明白了。

妻子拎着六个苹果上楼了，我跟在后面。那对恋人收到苹果时一脸的惊讶：他们没想到在这个异乡(yì xiāng)①还会收到邻居的礼物。当妻子和颜悦色(hé yányuè sè)②地说希望他们以后在楼上动作轻点时，他们都有些不好意思了，说以后一定注意。从那以后，我和妻子很少听到楼上传来的咚咚声。

有时候，找一个大家都能接受的方式，再加上你的真心和诚意，很多问题也就迎刃而解(yíng rèn'ér jiě)③了。

（根据境悠然《六个苹果的力量》改编）

想一想

1. 在寓言故事中，南风为什么能让那人脱掉棉大衣？北风为什么不能？
2. 妻子是如何对待楼上吵闹的邻居的？
3. 如果是你，你会怎么对楼上的邻居说？

---

① 异乡：外地。
② 和颜悦色：（态度）和气而且有礼貌。
③ 迎刃而解：问题得到顺利解决。

8 100 欧元

在南部沿海的一个旅游城市，几场意外的大雨让每个店铺的生意都变得不景气(jǐng qì)①。大多数人都背上了债务(zhàiwù)（debt），心情很不好。

幸运的是，当地一家旅馆来了一位富商。他把 100 欧元订金放在前台，要求先看一下房间，然后拿着钥匙(yào shi)（key）走上楼去查看房间。

旅馆老板拿着这 100 欧元急匆匆跑到附近的熟食店，归还几日前欠(qiàn)②下的 100 欧元；熟食店老板飞快地跑到肉铺，归还自己拖欠的 100 欧元；肉铺老板又

---

① 景气：（生意）兴旺；繁荣（多用于否定式）。

② 欠：应当给别人的还没给。

拿着钱朝肉食批发商（pī fā shāng）（wholesaler）那儿一路小跑，还清了几天前欠下的100欧元；肉食批发商又拿着钱去养猪人那里偿还（chánghuán）[1]了债务……

养猪人又拿着这100欧元去会他的恋人。因为经济危机，养猪人和恋人好久没有出来团聚（tuán jù）[2]了，今天可是天赐良机（tiān cì liáng jī）[3]。碰巧，他们又是那家旅馆的常客，于是，他们来到旅馆，把100欧元递给了服务生。

就在这时，富商查看了所有的房间后，走下楼来，表示自己对房间并不满意，于是收回了那100欧元订金，离开了……

（根据冯国川《100欧元》改编）

想一想

1. 在南部沿海的一个旅游城市，为什么大多数人的心情都很不好？
2. 富商交了100欧元订金，最后又收回了那100欧元，对于他来说，什么都没改变，但旅馆老板等人却在这个过程中还清了债务，这是怎么回事呢？

---

① 偿还：归还。
② 团聚：分别后重新在一起。
③ 天赐良机：上天给的好机会。

9 感动在细节

朋友要买房，非要拉上我跟他一起去看看，参谋（cānmóu）①参谋。

到了第一家，售楼小姐热情地领着我们到现房（xiànfáng）②前去参观。那是栋很气派的高层，在市中心，而且价格还算低廉（dī lián）③。售楼小姐不停地说着楼盘的优势，什么周围有商场、有学校啦，房屋结构合理啦，听得我都有些动心了，朋友却没说一句，转身走了。

第二家是在郊外，出售的也是高层现房，环境很好，紧挨城外的那座小山，楼后有清清的小溪，楼前树林成荫，算得上是鸟语花香。而且上下班也便利，因为离楼不远处就有直达市中心的公交车。售楼

---

① 参谋：帮别人出主意。
② 现房：已建好，可以出售的房屋。
③ 低廉：便宜。

小姐一直在旁边鼓动（gǔ dòng）①，让我帮朋友下决心。朋友最终还是摇了摇头。我估计他是因为那不菲（bù fěi）②的价格。

到第三家看的不是现房，因为工程刚刚开始。售楼小姐带我们在楼房模型前指指点点，不管是从价格上还是地理位置上，我都觉得这个不如前面的两家，加上我对没有盖好的房子也没信心。可出乎我意料的是，朋友竟决定要买这里的房子，而且爽快（shuǎngkuai）③地当场交了订金。

回来后我问朋友看上那房子什么了。朋友说，他们在楼房大门口的高台阶旁另外设计了一个残疾车道，而前面两家都没有。

我这才想起朋友的父亲在几年前已腿部瘫痪（tānhuàn）④了。真没想到，打动朋友心的不是低廉的价格，不是幽雅的环境，也不是售楼小姐灿烂（càn làn）⑤的笑容，而竟是一条不足两米的简易的残疾车道。

（根据吴宏博《感动在细节》改编）

想一想

1. 哪家楼房的价钱便宜？哪家楼房的环境漂亮？
2. 为什么朋友决定买第三家的楼房？
3. 每个人都有自己最需要的东西，送给他人最需要的东西，是非常受欢迎的。你知道你的家人或朋友最需要什么吗？

---

① 鼓动：用言语或行为激励他人，使其有所行动。
② 不菲：不低，不便宜。
③ 爽快：没有犹豫，直截了当。
④ 瘫痪：身体某个部位的运动或感觉功能完全或部分丧失。
⑤ 灿烂：明亮美丽。

10 他能成功吗

杰克很小就没了父母，他和奶奶相依为命（xiāng yī wéimìng）①。他很喜欢画画，想成为一名出色的画家。

一天，杰克兴奋地告诉奶奶："著名的画家比尔要到市里举办画展，我要带上自己的画作，求比尔帮忙指点。"

晚上，杰克一脸沮丧地回来了，他把自己的画撕（sī）（tear; rip）得粉碎，伤心地说："比尔看完我的画说我根本不是画画的料，没有天赋，劝我放弃。所以，我决定往后再也不碰画笔了。"

沉默了一会儿，奶奶对杰克说："孩子，我有一幅收藏了几十年的画，可一直不知道这幅画值多少钱，既然比尔是著名的画家，我想让他帮我看一下。"

可当奶奶从箱底拿出那幅画时，杰克很失望：画上没有点题，也没有署名（shǔ míng）②，画得也很粗糙。

杰克扶着奶奶找到了比尔。比尔看完奶奶收藏的画，摇摇头，笑道："老人家，这幅画画风简单，用笔幼稚、粗糙，立意不明确……不是名家所画，不（bù）

① 相依为命：相互依靠生活。
② 署名：在书信、文件或文稿上写上姓名。

zhí yī wén
值一文①。”

奶奶有些失望地问：“你看画这幅画的人，如果继续画下去，能成功吗？”

shù wǒ zhí yán
比尔十分肯定地说：“老人家，恕我直言②，他再画下去也成不了气候。”

这时奶奶才说，几十年前，她在一所幼儿园当老师，画是她的一个学生画的。当年那个学生是全班画画最差的，交作业时，没有勇气把自己的名字写在正面，而是写在了背面。她没有批评那个学生，反而鼓励说：“你画得很不错，继续努力，我相信你将来一定能成为一名出色的画家。”没想到过了若干年，

---

① 不值一文：没有用，连一分钱都不值。
② 恕我直言：请原谅我直说。

那个学生真的成了一位大画家。

比尔惊讶地愣(lèng)①住了，他不相信地把画翻过来，背面赫然(hè rán)②写着自己的名字。比尔慢慢地回忆起来了，喃喃地说："您是玛雅老师。"

奶奶笑着点点头，说："几十年过去了，但我依然认得出你。"停了一下，奶奶把目光转向杰克，杰克终于明白了奶奶为什么要带自己来鉴画。他点点头……

（根据李显波《他能成功吗》改编）

想一想

1. 看到奶奶拿来的那幅画，比尔认为画画的人能成功吗？
2. 奶奶想告诉杰克什么？

① 愣：因为吃惊而呆住了。
② 赫然：很明显地。

11 可以免费赠送

十岁的时候，他和父亲推着板车去镇上卖西瓜，西瓜刚推到镇上，还没有卖出，天空中霎时(shà shí)①就阴云密布，要下雨了。过往的人们纷纷往回赶，再也没人来买西瓜了。他沮丧得很，西瓜卖不出去了，还要推回去。

这时，父亲说："我们可以把瓜免费送人。"于是父亲带着他来到沿街的店面，给每一家搬了两三个西瓜，大家纷纷用诧异的目光看着父亲。父亲说："要下雨了，西瓜不好卖，分给大家吃啦。"有人说："那你不是亏(kuī)（suffer a loss）了吗？我拿钱给你。"父亲摆摆手说："不用了，西瓜送给你们，我还赚个轻松，要是留着，推回去，明天不新鲜，又不好卖了。"那天，他们一无所获(yī wú suǒ huò)②地回去了。

可是后来，他们再来镇上，西瓜总是第一个卖完。因为他们那次送人家西瓜，人家记着他们的好，也因为父亲的话，大家都相信他们的西瓜最新鲜。

多年之后，他拥有了一家食品公司，他牢牢记得父亲当年卖西瓜的事。

金融危机（financial crisis）爆发了，经济形势十分严峻(yán jùn)（stern；severe），

---

① 霎时：很快地，一眨眼功夫。

② 一无所获：什么也没得到。

他的工厂也被迫(bèi pò)[1]停产了，产品积压(jī yā)（keep long in stock；overstock）在仓库里卖不出去。他召集工人们开会，说："现在工厂停产了，我把工资都结给你们，另外每个人都可以挑选自己喜欢的食品带回家。"

那些食品平日多是出口的，价格不菲。工人们高兴极了，大包小包地挑着带回家。剩下的食品，他又免费送给附近的居民，送给有业务或没业务往来的多个商店和超市。

① 被迫：不得不，没有办法。

后来，金融危机过去，市场复苏（fù sū）（come back to life）了，他的公司订单（dìngdān）（order for goods）更是出奇的多。当时好多厂都遇到用工荒（yònggōnghuāng）①，招不到人，而他的公司，工人们蜂拥（fēngyōng）（swarm）着前来报名，有老工人，也有慕名而来的新工人。因为他的免费赠送，让更多的人知道了他和他的公司。他立即投入生产，并扩大生产规模……

生活中，我们在遇到危机时，不要死守着“财富”，让它们在手里慢慢变质（biànzhì）②，可以免费送给需要的人。免费和赚钱，从来就不是矛盾的。我们得学学那个老板，舍得让别人分享自己的“财富”。一颗善良的心，可以让我们赢得更好的未来。

（根据顾艳《可以免费赠送》改编）

想一想

1. 当西瓜卖不完时，父亲采取了什么办法？
2. 当他的产品积压在仓库里时，他是怎么做的？他这样做有什么好处？
3. 为什么他的公司能招到工人，订单也特别多？

---

① 用工荒：招不到工人来工作。

② 变质：（人的思想或事物的）本质发生改变，多指向坏的方面变化。

12 高等教育

强高考失败后就随堂哥去沿海的一个港口城市打工。

那座城市很美，强的眼睛就不够用了。堂哥说：“不错吧?”强说：“真好。”堂哥说：“不错是不错，可总归不是自己的家，人家瞧不起咱。”强说：“自己瞧得起自己就行。”

强和堂哥在码头的一个仓库给人家缝补篷布(péng bù)①。强很能干，做的活精细，看到丢弃的线头碎布也拾起来，留作备用。

那夜暴风雨骤起(zhòu qǐ)②，强从床上爬起来，冲到雨中。堂哥劝不住他，骂他是个笨蛋。

在露天仓库里，强察看了一堆又一堆货物，把掀(xiān)③动的篷布系牢。等老板开车过来，他已被淋成了个“落汤鸡”。

老板见堆放的货物丝毫未损，当场要给他加工资，他却说：“不啦，我只是做好我自己的工作。”

老板见他这么诚实，就想把另一个公司交给他管，让他当经理。强说：

---

① 篷布：用来遮蔽货物的厚布。
② 骤起：突然发生。
③ 掀：揭起，打开。

"我不行，让文化高的人干吧。"老板说："我看你行——比文化高的是人身上的那种东西!"

强就当了经理。

公司刚开张，堂哥就闻讯(wénxùn)①跑来，说："给我弄个美差干干。"强说："你不行。"堂哥说："看大门也不行吗?"强说："不行，你不会把这里当成自己的家。"堂哥气得脸通红(tōnghóng)②，骂道："你真没良心。"强说："把自己的事干好才算有良心。"

公司进了几个有文凭的年轻人，业务红红火火地开展起来。过了些日子，那几个受过高等教育的年轻人知道了强的底细(dǐ xì)③，心里很不服气，说："就凭我们的学历，怎么能窝(wō)④在他手下?"

强知道了并不恼，说："我们既然在一块儿共事，就把事办好吧。我这个经理的帽儿谁都可以戴，可有价值的并不在这顶帽上……"

那几个大学生觉得强说得有道理，就都不吭声了。

一位外商听说这个公司很有发展前途，想洽谈(qià tán)⑤一项合作项目。强的助手说："这可是条大鱼呐，咱得好好接待。"强说："没错。"

外商来了，是位外籍华人，还带着翻译、秘书。

强用英语问："先生，会汉语吗?"

那外商一愣，说："会的。"强说："那我们用汉语谈，好吗?"

---

① 闻讯：听说这个消息。
② 通红：很红。
③ 底细：真实的情况，内情。
④ 窝：待在那里，但能力得不到发挥。
⑤ 洽谈：接洽商谈。

外商只好说了一声“好的”。

谈完了，强说：“我们共进晚餐怎么样？”外商迟疑(chí yí)[1]地点了点头。

晚餐很简单，但有特色。所有的盘子都吃干净了，只剩下两个小笼包。

强对服务小姐说：“请把这两个包子装进食品袋里，我带走。”强说这话时很自然，他的助手却紧张起来，不住地看那外商。

那外商站起来，抓住强的手紧紧握着，说：“明天我们就签合同！”

事成之后，老板设宴款待外商，强和他的助手都去了。席间，外商轻声问

① 迟疑：因为不太相信，所以不能马上决定。

强："你受过什么教育？为什么能做得这么好？"

强说："我家很穷，父母不识字。可他们对我的教育是从一粒米、一根线开始的。后来我父亲去世，母亲辛辛苦苦地供我上学。她说妈妈不指望（zhǐ wàng）①你高人一等，你能做好你自己的事就行……"

在一旁的老板被感动了，他端起一杯酒，说："我提议敬她老人家一杯——为你受过人生最好的教育——另外，请把您母亲接来吧！"

（根据司玉笙《高等教育》改编）

想一想

1. 老板为什么让强当经理？
2. 强为什么不让堂哥在公司工作？
3. 外商为什么同意跟强签合同？
4. 你觉得你最好的老师是谁？为什么？你从他（她）那儿学到了什么？

① 指望：希望。

下

XIA

1 吹

某公司引进了一条香皂包装生产线，结果发现这条生产线有个缺陷（quēxiàn）（defect）：常常会有盒子里没装入香皂。总不能把空盒子卖给顾客啊，于是他们请来了一个学自动化的博士后（bó shì hòu）（post doctor），请他设计一个方案（fāng'àn）[①]，把空的香皂盒捡走。博士后成立了一个由几十人组成的科研小组，花费了几十万，成功地解决了问题。每当生产线上有空香皂盒通过，两旁的探测器（tàn cè qì）（detector）就会马上检测到，并且让机械手（jī xiè shǒu）（manipulator）自动把空香皂盒推走。

有个小工厂也买了同

① 方案：进行工作的具体计划。

样的生产线，老板发现这个问题后大为苦恼，找了个工人说：“这个问题你来解决。”工人很快就想出了办法：他花了几百块钱买了一台大功率（gōng lǜ）（high-power）的电风扇，放在生产线旁边猛（měng）①吹，于是空香皂盒都被吹走了。

思考与交流

1. 这两种方法你觉得哪种更好，为什么？
2. 如果你是老板，你会采用哪种方法？

① 猛：使劲、用力。

2 商机就在拐角处

有位年轻人乘火车去某地。火车行驶在一片荒无人烟（huāng wú rén yān）[1]的山野之中，人们一个个无聊（wú liáo）[2]地望着窗外。

在前面一个拐弯处，火车减速，一座平房缓缓地进入他的视野。也就在这时，几乎所有乘客都睁大眼睛“欣赏”起寂寞旅途中这道特别的风景。有的乘客开始议论起这房子来。

年轻人的心为之一动。返回时，他中途下车，找到了那座房子。主人告诉他，每天火车都从门前驶过，噪音实在使他们受不了啦，很想以低价卖掉房屋，但很多年来一直无人问津（wèn jīn）[3]。

不久，年轻人用三万元买下了那座平房，他觉得那座房子正好在拐弯处，火车经过那里时都会减速，疲惫（pí bèi）（tired out；exhausted）的乘客一看到那座房子都会精神一振，用来做广告再好不过了。

---

① 荒无人烟：十分荒凉，没有人家。
② 无聊：因为没事可做而感到烦闷。
③ 问津：探问情况。

很快，他开始和一些大公司联系，推荐（tuī jiàn）（recommend）房屋正面那道极好的“广告墙”。后来，一家大公司看中了那道“墙”，在三年租期内，支付给年轻人十八万元租金……

这是一个真实的故事。

思考与交流

1. 房子的主人为什么要低价把房子卖了？
2. 年轻人买下那座平房做什么用？

3 加不加鸡蛋

在台北的一条马路上，有两家卖面条的小店，左边一家，右边一家。两家相隔(xiāng gé)①不远，每天的顾客数量也相差不多。然而晚上结算(jié suàn)（settling）的时候，左边这家店总比右边那家多出几百块钱的收入。一年后，左边的小店变成了大店，而右边的那家还是一年前的老样子。

右边那家店的老板一直迷惑不解(mí huò bù jiě)②。有一天，他走进了左边的那家店，服务小姐微笑着把他迎进去，给他盛好一碗面条，问道："加一个鸡蛋，还是加两个鸡蛋？"他犹豫了一下说："加一个。"本来他只是想吃面的，没想

① 相隔：相互间的距离。

② 迷惑不解：对某事很不理解。

到被服务员卖了一个鸡蛋。他坐在那里观察了一会儿后发现，每进来一个顾客，服务员都要问一句：“加一个鸡蛋，还是加两个鸡蛋?”爱吃鸡蛋的就加两个，不爱吃的就加一个，真奇怪，很少有顾客说不加的。这下右边那家店的老板突然明白过来了。问题就出在这里。

原来在他的店里，服务员是这样问顾客的：“加不加鸡蛋?”每进来一个顾客，服务员都要问这句话，顾客有说加的，也有说不加的，大部分人都选择不加。于是他也让服务员改成“加一个鸡蛋，还是加两个鸡蛋”，果然收入多了起来。

思考与交流

左边的那家面条店为什么比右边的那家每天多出几百块钱的收入?

4 公鸡生蛋

甘茂是秦国的大臣。有一天，秦王故意为难（wéi nán）（make things difficult for）他，要他在两天以内，找来三个公鸡生的蛋。

甘茂回到家里，想了又想，实在想不出办法来，不由得（bù yóu de）①闷闷不乐，坐着发愁。他的孙子甘罗，这时候才十二岁，看到爷爷忧愁（yōuchóu）②的样子，就问："爷爷，您为什么发愁？"甘茂把秦王的话告诉了他。

甘罗听了，马上对爷爷说："爷爷，我有办法。明天早上，我去见秦王。"

甘茂说："这不是闹着玩的呀，闯（chuǎng）下祸（huò）（get into trouble）来可不得了！"

甘罗说："请爷爷放心好了。"

甘茂经不起甘罗的一再请求，只好答应了他。

第二天，甘罗去拜见秦王。秦王问他是谁，他恭敬（gōngjìng）③地说："我是甘茂的孙子，名叫甘罗。"

秦王又问他："你的爷爷怎么不来？"

甘罗回答："爷爷在家里生孩子。"

---

① 不由得：不禁，控制不住。
② 忧愁：遇到不如意的事而苦闷。
③ 恭敬：尊敬而有礼貌。

秦王听了，大怒，说：“你胡说！男人怎么会生孩子？”

这时候，甘罗不慌不忙地回答：“男人不会生孩子，公鸡又怎么会生蛋？”

秦王见甘罗不但聪明过人，而且胆量（dǎnliàng）（courage）也大，就封（fēng）①他做了官，也不再为难他的爷爷了。

思考与交流

1. 秦王为什么要甘茂找来三个公鸡生的蛋？
2. 甘罗想了什么办法来帮爷爷？
3. 秦王最后为什么封甘罗做了官？

① 封：古代帝王把官位赐给臣子。

5 聪明的司机

从前有一个非常有名的演讲家，他有一个私人司机，经常送他去各处演讲。这是一个聪明的司机，他经常听演讲家的演讲，对演讲家所讲的内容非常熟悉，久而久之(jiǔ'ér jiǔ zhī)①，甚至可以倒背如流(dào bèi rú liú)②。更神奇的是，他能够将演讲家的语音、语调、姿势和动作模仿得很像。如果有机会让他来演讲，他相信自己一定能和演讲家演讲得一样好。但很可惜，他一直没有机会施展自己的才能。

① 久而久之：经过了相当长的时间。
② 倒背如流：形容背得非常熟，记得非常牢。

有一次，他看见演讲家有些不舒服，于是就开玩笑地说：“让我替您讲一场吧，我经常听您演讲，听得多了，可以将您演讲的内容一字不漏地讲出来。”演讲家听了高兴地说：“那好，你今天就代替（dài tì）（instead of）我演讲吧，我就冒充（mào chōng）①你的司机好了。”

司机非常高兴，于是就上台全身心投入地演讲了起来。演讲非常成功，掌声如雷，激动的听众都站起来为他鼓掌。这情形连真正的演讲家都吓了一跳，他简直就是自己的翻版。演讲家也不得不佩服地为他鼓起掌来。

掌声终于停了下来，人们开始向“演讲家”提问题。突然，有一个青年人提了一个非常专业的问题，这显然是司机演讲以外的知识内容，全场观众都在等待这位冒牌（mào pái）②演讲家的回答。出乎意料的是，他竟然冷静地说：“年轻人，请恕我直言，你的问题太简单了，这个问题连我的司机都可以回答。假如你不信的话，我可以证明给你看。”

他回过头朝冒牌的司机——真正的演讲家招招手，演讲家立刻走上讲台作答，而那个司机则在雷鸣般的掌声中离开了会场。

思考与交流

1. 司机为什么代替演讲家演讲？
2. 为什么说这是个聪明的司机？

---

① 冒充：假的充当真的。
② 冒牌：冒用别的品牌（多为名牌）。

6 一颗一颗往上加

前几年一直发展得不错的公司，今年的盈余（yíng yú）（profit；gain）却大幅滑落。这加重了董事长心头的负担，因为马上就要过年了，按照惯例（guàn lì）①，年终奖金最少加发两个月，多的时候，甚至再加倍。今年可惨了，算来算去，最多只能发一个月的奖金。

董事长忧心地对总经理说："许多员工都以为最少能加发两个月奖金，恐怕连飞机票、新家具都订好了，只等拿奖金去度假或付账单呢！"

总经理也愁眉苦脸："就像给孩子糖吃，每次都抓一大把，现在突然改成两颗，孩子一定会闹。"

"你的话倒使我想起小时候到店里买糖，总喜欢找同一个店员，因为别的店员都先抓一大把，拿去称，再一颗一颗往回拿。有一个店员，每次都抓不足重量，然后一颗一颗往上加。说实话最后拿到的糖虽没什么差别，但我就是喜欢后者。"董事长说。

没过两天，公司突然传来小道消息（xiǎodàoxiāo xi）（side-street news；hearsay）——由于经营不佳，年底恐怕要裁员（cáiyuán）②。

---

① 惯例：通常的做法，习惯的做法。

② 裁员：减少人员。

公司里顿时人心惶惶（rén xīn huánghuáng）①，每个人都在猜会不会是自己。

但是，总经理很快就做了宣布："公司虽然艰苦，但大家同在一条船，再怎么危险，也不愿牺牲（xī shēng）②共患难（huànnàn）（adversity；calamity）的同事，只是年终奖金，可能发不了了。"

听说不裁员，人人都放下了心头的一块大石头。

眼看除夕将至，大家都做好了过个穷年的打算，彼此约好拜年不送礼。突然，董事长召集（zhào jí）（call together）各部门主管召开紧急会议。看到主管们匆匆

① 人心惶惶：内心惊恐不安。

② 牺牲：损害一方的利益。

上楼，员工们心里都有点儿七上八下（qī shàng bā xià）①。

没几分钟，主管们纷纷冲进自己的部门，兴奋地高喊着："有了！有了！还是有年终奖，整整一个月，马上发下来，让大家过个好年！"

整个公司大楼，爆发出一片欢呼声，连坐在顶楼的董事长，都感觉到了地板的震动……

（根据刘墉《给糖哲学》改编）

思考与交流

1. 公司往年最少发多少年终奖？今年最多只能发多少？
2. 公司最终只加发了一个月的奖金，可员工们为什么那么高兴？

① 七上八下：形容心里慌乱不安。

7 当爱成为习惯

父亲病逝(bìng shì)①，家里欠(qiàn)②下一大笔债。办完事的第三天，十八岁的我就加入了南下打工的队伍，在老乡的介绍下进了一家大型的汽车修理公司。

带我的师傅姓史，五十多岁，他有两个很特别的嗜好(shì hào)③：一是没事就剪指甲，二是爱替别人洗衣服。

两个月后我终于攒下了一千元钱，给母亲汇(huì)完款(kuǎn)④后，我突然想到应该给她写一封信，于是就利用午休时间在办公室随便找了一张包装纸写起来。

也许是我太专心了，史师傅来了我都不知道，直到他用手敲了敲桌子我才抬起头。他说："你明明在这里干着又脏又累的活，为什么说你的工作很轻松？"我红着脸说我不想让母亲为我担心。

史师傅点了点头说："游子在外，报喜不报忧，这一点你做得很好。但是你用这么脏的一张纸给母亲写信，她会相信你的工作很轻松吗？"

---

① 病逝：病死。
② 欠：借了别人的钱或东西还没还给别人。
③ 嗜好：爱好。
④ 汇款：寄钱。

史师傅看着窗外，缓缓（huǎnhuǎn）①地说："我很小就没了父亲，二十岁那年母亲得了重病，腰部以下都不能活动，我四处求医问药，最后这个城市的一个老中医告诉我，坚持做按摩治疗，有百分之一的康复（kāng fù）②可能。于是我就带着母亲来到了这里。我在这家公司找了一份活儿干，那时条件没现在好，我们工作比你们辛苦得多。在这里拿到第一笔工资那天，我买了很多母亲喜欢吃的东西回家。在我递上给她削好的苹果时，她拉住我的手说：'跟妈妈说实话，你做的到底是什么工作？你不要累坏自己啊！'我说：'我在办公室工作啊，很轻松的。'母亲生气地说：'孩子，你的手这么黑，而且指甲缝里全是黑乎乎的机油，你干的活肯定又脏又累，你骗不了妈妈的，你再也不要花那些冤枉钱（yuānwangqián）③了，我的腿治不好的。'说完母亲就落下泪来，她还说我要是不辞（cí）④去现在的工作，她就不吃饭！

"一时间我不知道怎样回答母亲，就借口给她洗衣服，从屋子里逃了出来。等洗好衣服的时候，我突然惊奇地发现我的手是那么的白。顿时（dùn shí）⑤我就有了主意，马上跟母亲说我同意辞去现在的工作。母亲听了才放下心来。

"其实第二天我还是来这里干修车的活，只是下班后我先剪短、锉平（cuòpíng）⑥自己的指甲，然后又把同事的工作服洗了才回家。因为洗的衣服越多手就越白，母亲一点儿都没发觉。

---

① 缓缓：慢慢。
② 康复：病（或伤）好了，身体变健康了。
③ 冤枉钱：指本来不必花而花的钱。
④ 辞：不接受，请求离去。
⑤ 顿时：立刻，马上。
⑥ 锉平：用一种条形刀具，使物体表面光洁。

“为了拿到相对多一些的薪水（xīn shuǐ）①给母亲治病，我就一直在这家效益不错的公司待到现在。”

史师傅说完从抽屉里拿出几张信纸给我。最后，我在那张洁白（jié bái）②的纸上写下了：“亲爱的妈妈，我在这里一切都好，工作也很轻松……”

（根据丛中笑《当爱成为习惯》改编）

思考与交流

1. “我”的工作怎么样？“我”告诉母亲“我”的工作怎么样？“我”为什么这样说？
2. 我们有哪些办法可以让母亲开心？

---

① 薪水：工资。
② 洁白：白白的，很干净。

8 批评是甜的

（一）

一天，一个长发披肩的时髦姑娘刚挤上了公共汽车，就觉得自己的长发被后边的人拽(zhuài)①住了。她使劲拉了拉头发，拉不动，显然还被后边的人拽着。于是她猛地转身，给了后边那人一记耳光——那是一个穿着牛仔裤、长着娃娃脸的打工仔(dǎ gōng zǎi)②！

见打工仔并没有赔礼道歉(péi lǐ dào qiàn)③，还红着脸笑，姑娘更气了，骂了句“流氓(liú máng)④”，挥手又打了他一记耳光。

打工仔仍然没有生气，只是用手指了指车门——原来，姑娘的长发是被车门夹住的！姑娘傻眼了，脸唰地红了，一句话也说不出来。

打工仔看了看她，挺宽容(kuānróng)⑤地说了一句：“俺(ǎn)⑥也有姐，可俺姐决不像

---

① 拽：拉。
② 打工仔：在外做工的青年人。
③ 赔礼道歉：说对不起。
④ 流氓：没有工作，总做坏事的人。
⑤ 宽容：包涵，原谅，不计较。
⑥ 俺：方言说法，我。

你这样！”说着转过脸去再没吭声（kēngshēng）[①]，而姑娘看着打工仔宽阔的肩膀，眼泪唰地流了下来……

（二）

有个小女孩一心贪玩，居然把她的小狗贝贝带进了一家严禁（yán jìn）[②]携带小狗入内的商场。小女孩只顾与她的贝贝说着悄悄话，一点儿也不知道这条规矩。

① 吭声：出声说话。
② 严禁：严格禁止，一定不准。

当她上了二楼，看到墙上“严禁携带小狗入内”的警示牌时，才发现小狗已没地方藏了。

她害怕极了，赶紧乖乖（guāiguāi）①地站好，一边紧搂着贝贝，一边看着迎面走来的商场保安，等待着想象中的“狂风暴雨”。

不料保安不仅没生气，还笑眯眯地看了看她，说：“啊！多么可爱的小狗，它叫什么名字？”小女孩轻声回答：“它叫贝贝。”

那位保安又笑了，摸了摸小狗的头，说：“亲爱的贝贝，你怎么糊涂了？我们这儿是不准小狗带小女孩进来的，但既然来了也就不难为你了。不过离开时请记住，千万别忘了带走你身边的这位小姑娘！”

天！原来，批评也可以是甜的！

思考与交流

1. 这里的“甜”是什么意思？谁的批评是甜的？
2. 上课时，几个学生在大声地聊天，影响了别人，如果你是老师，你会怎么对他们说？
3. 如果你的朋友误以为是你把他的 iPad 弄坏了，你该怎么对他说？

① 乖乖：顺从，听话。

9 善小亦为

平常日子里，你我的生活，都是由一些大事小事组成的，其中有不少是恶（è）[1]小、善小。有人喜欢恶小，认为是理所当然（lǐ suǒdāngrán）[2]的；有人看不起善小，不以为意（bù yǐ wéi yì）[3]。其过程虽是不知不觉的，但结果却令人深思。

前几天，听一位出租车司机讲了一件事。那天上午，他去虹桥机场等客人，排了两个半小时的队，上来一位德国先生。司机问："先生，去哪里？"先生答："去龙柏新村。"

只要是开出租车的，在虹桥机场听到要去龙柏新村，都是要气得吐血的。龙柏新村是飞机场边上的一座公寓楼，一个拐弯便可到达。人家出租车司机等了两个半小时，就赚你十元钱啊！

德国先生安安静静地候着。

出租车司机这时有点窝火，心里抱怨自己今天运气不好。但他脸上倒是不露声色（bù lù shēng sè）[4]，心里想着：这事与客人无关，总要把客人送到目的地才行。于是

---

① 恶：坏。
② 理所当然：从道理上说应该这样。
③ 不以为意：不把它放在心上。
④ 不露声色：不让心里的想法从语气和神态上表现出来。

将德国先生的行李放入后车座，请他上车。

等到了目的地，司机到后车座替德国先生将行李取出，说了句再会，便要离去。

德国先生却欲言又止（yù yányòu zhǐ）[1]，司机以为自己哪里服务不周，便问：“先生，有问题吗？”德国先生说：“噢，不，你能等我一会儿吗？我还想用车。”司机就又等了大概十五分钟，德国先生匆匆跑出来，上车后对司机说：“我要去金山。”

金山在上海的最南面，从龙柏新村开过去，基本上需要横跨大半个上海，这可真是一个美（měi）差（chāi）[2]呀。

路上，司机与德国先生聊天：“你为什么在机场上车时，不说要去金山呢？”德国先生说：“我知道机场到龙柏新村的距离，如果你们送我的话很不划算。但你没有拒绝，还对我这么好，因此我临时将去金山办事的时间提前到上午来，还愿意坐你的车。”

听了这话，司机的心情非常愉悦。

---

① 欲言又止：想要说什么，但又没说出来。
② 美差：可以得到好处的工作。

到了金山的一家宾馆，德国先生下车时，又问道："你能不能再等等我？"司机问："等多长时间？"德国先生说："一个多小时吧。"司机说："好的。"

德国先生走出两步又回头关照，说："请将计程器开着，车费应算我的。"德国先生走后司机就将计程器关了，他认为，车子没在跑，不能算人家的。

大约两个小时后，德国先生办完事出来了。他有些不好意思，连说："对不起，让你久等了。"然后请司机再将车子开回龙柏新村。

到了目的地，来回车程是四百元，德国先生执意(zhí yì)[1]要付五百元，他说等的两个小时必须算他的。

三国时期，刘备曾对刘禅说：勿以恶小而为之(wù yǐ è xiǎo ér wéi zhī)，勿以善小而不为(wù yǐ shàn xiǎo ér bùwéi)[2]。是呀，生活中，有人看重做大的好事，不鸣则已(bù míng zé yǐ)，一鸣惊人(yī míng jīng rén)[3]。其实不然，能做好每一件小的好事，才是成就大的好事的前提(qián tí)[4]呢。

（根据戴文妍《善小亦为》改编）

思考与交流

1. 司机做了一件什么好事？
2. 有人觉得在课桌上随意刻画是小事，你觉得呢？你会怎么对他说？
3. 有人觉得帮妈妈洗碗是小事，没必要做，你觉得呢？
4. 你知道哪些积少成多、由小变大而成功的事例或现象吗？

---

① 执意：一定要。

② 勿以恶小而为之，勿以善小而不为：不要觉得那是小恶，就可以去做；也不要因为那件好事很小，就不愿意去做。

③ 不鸣则已，一鸣惊人：平时默默无闻，突然有惊人的表现。

④ 前提：事情的先决条件。

10 智慧只需一点点

两个青年一同开山，一个把石块儿砸（zá）①成石子运到路边，卖给建房人；另一个直接把石块运到码头，卖给杭州的花鸟商人，因为这儿的石头总是奇形怪状，他认为卖重量不如卖造型（zào xíng）②。三年后，卖怪石的青年成为村里第一个盖起小楼房的人。

后来，因为不许开山，只许种树，于是这儿成了果园。因为这儿的梨香甜可口，每到秋天，漫（màn）

① 砸：用很重的东西打。
② 造型：制造出来的物体的样子。

山遍野(shānbiàn yě)①的梨子招来各地的商人。他们把堆积如山的梨子成筐(kuāng)②成筐地运到北京、上海，然后再发往韩国和日本。

就在村里的人为梨子带来的好日子高兴不已时，那个曾卖过怪石的人却卖掉了梨树，开始种柳树。因为他发现，来这儿的客商不愁挑不到好梨，只愁买不到装梨的筐。就这样，五年后他成为第一个在城里买房的人。

再后来，一条铁路从这儿贯穿(guànchuān)③南北，从这儿坐火车可以北至北京，南抵(dǐ)④香港九龙。小村的果农们也由单一的卖水果，发展为水果加工及市场开发。然而就在一些人开始大办水果加工工厂的时候，那个人又在他的果园边上砌了一道一米高、百米长的矮墙。这道墙面向铁路，背依翠柳，两旁是一望无际(yī wàng wú jì)⑤的万亩梨园……

（根据《好同学》2005 年第 9 期《赚钱智慧只需一点点》改编）

思考与交流

请问，这位果农砌起的这道矮墙，有什么用处？

（答案：坐火车经过这里的人，在欣赏盛开的梨花时，都会看到矮墙上醒目的一行大字："清清龙井，纯纯亲情。"据说这是这五百里山村中唯一的一个广告，那道墙的主人仅靠这道墙，每年又有四万元的额外收入。）

---

① 漫山遍野：遍布山野，形容很多。

② 筐：用竹子或柳条编成的用来装东西的器具。

③ 贯穿：穿过。

④ 抵：到。

⑤ 一望无际：一眼看不边际，很大很宽。

11 走进母亲内心的最佳途径（tú jìng）[1]

母亲在电话里说，她想来深圳看我，也看看她未来的儿媳妇。我有些为难，但还是答应了。

我有我为难的理由。母亲出生于二十世纪五十年代，没念过书，一辈子生活在乡村，对许多新鲜的事物看不惯。而我的女友小娜，却是八十年代出生的人，热爱一切时尚（shí shàng）[2]的东西，染五颜六色的头发，穿吊带裙，心情不好的时候去狂欢，花起钱来大手大脚有时连我都受不了。尽管刚刚跟小娜恋爱时，我就有带她回家见母亲的想法，可直到现在，我都怕她们因过多的代沟（dài gōu）[3]而导致摩擦（mó cā）[4]，不敢将这个想法付诸行动（fù zhūxíngdòng）[5]。

“丑媳妇总要见公婆。”小娜比我勇敢许多，这是得知母亲要来后她的原话。在我苦口婆心（kǔ kǒu pó xīn）[6]的劝说下，她狠狠心染回黑发，买了端庄（duānzhuāng）[7]的衣裙，收

---

① 途径：办法。
② 时尚：新鲜而且流行的。
③ 代沟：两代人之间在观念、看法、爱好等方面因有不同，而相互不理解。
④ 摩擦：矛盾，关系不好。
⑤ 付诸行动：变成实际行动。
⑥ 苦口婆心：认真地、反复地劝说。
⑦ 端庄：端正庄重。

起平日热衷(rè zhōng)①的唇膏香水，一副朴素(pǔ sù)②的样子，只为给母亲一个好印象。

不久，母亲来到深圳。情况跟我预料的一样，哪怕小娜打扮得再朴素，哪怕她表现得再热情，母亲对她的努力都视而不见。私下里，母亲拉着我嘀嘀咕咕说她的“坏话”：“你看这女孩，说话做事都疯疯癫癫的，哪有姑娘样子？”“你看这女孩，昨天才提来袋东西，今天又提了几袋东西，花钱如流水，她一个月挣多少钱？”“你看这女孩，当着我的面，她竟然拍人家男孩的肩！”

……我哭笑不得，不停地解释。母亲根本不愿意听，还暗示我，她早看中了家乡的一个女孩，又安静又勤俭，将来定是个会当家的好妻子。我更加哭笑不得。

意外的机会出现在一个晚上，因为朋友邀请，我玩得很晚才回家。推开门，母亲坐在沙发上，小娜在打电话。

见到我，母亲松了口气，第一句话就是：“你的手机呢？”我摸摸口袋，才想起手机忘在公司了。母亲说：“以后不要这样粗心了，小娜都快被你吓死了！”我感到莫名其妙。

事后，母亲告诉我，跟平常一样，小娜下班后提着东西来看她。得知我没回来，小娜给我打电话，谁知电话一直打不通。眼看夜色越来越浓，小娜开始担心了，像一只热锅上的蚂蚁，她不停地给我打电话，不停地给我的朋友打电话，不停地在屋子里转圈，唯恐(wéikǒng)③我出什么事，这种状态一直持续到我回来。

---

① 热衷：十分爱好。
② 朴素：不加装饰，不华丽。
③ 唯恐：只担心。

母亲告诉我："小娜是个好女孩，以前是我对小娜有偏见(piānjiàn)①，小娜这样真心待你，你一定也要这样真心待小娜才对。"

第二天，母亲对小娜的态度明显好起来。回家之前，母亲还亲手为小娜戴上了一枚戒指。尽管这枚戒指不大，但我知道，那是奶奶当年亲手为母亲戴上的戒指。

① 偏见：片面的，常常是不正确的看法。

母亲走了。小娜说，她因自己的无心之举（jǔ）[1]，解开了一道难题：走进我母亲内心的最佳途径，其实只需要对她的儿子真心。

（根据易江南《走进母亲内心的最佳途径》改编）

思考与交流

1. 一开始母亲喜欢小娜吗？为什么？
2. 后来母亲喜欢小娜了吗？为什么？
3. 每个人都会有优点和缺点，观察一下你身边的人，说一说他们有哪些优点和缺点。

① 举：行动。

12 最合脚的鞋子

即使是星期天，女人也不能休息，她还得去门市部上班，一个小皮鞋厂的小门市部，只卖本厂的皮鞋。每隔一段时间，皮鞋厂都会削价(xuē jià)①处理一批皮鞋，这些皮鞋要么样式过时，要么鞋码不全，要么有些小的毛病……皮鞋厂和门市部的生意都不好，女人每个月拿到手的工资，也只够买一双削价处理的皮鞋。

所以，她不买。

女人已经有很长时间没有为自己买一双新皮鞋了。尽管丈夫跟她说过多次，要她为自己买一双新皮鞋，可她总是对丈夫说，旧皮鞋其实更合脚。她说的当然有道理，旧鞋子更合脚，就像婚姻。可是鞋子毕竟不是婚姻。假如条件好一点，似乎没有哪个女人会拒绝一双漂亮并且合脚的新鞋。所以女人的理由，就有些自欺欺人(zì qī qī rén)②的味道。

女人一直站在柜台里忙碌，今天的顾客很多，甚至有些拥挤——今天是买削价皮鞋的日子。顾客们盯着那些削价的皮鞋，兴高采烈地抢购(qiǎnggòu)③。女人感

---

① 削价：降低价格。

② 自欺欺人：骗自己也骗别人。

③ 抢购：争着购买。

叹：这世上还是穷人多啊！可是转念一想，女人又轻轻地笑了：她自己不就是一个穷人吗？这些人总还舍得花钱为自己买一双削价的皮鞋，而自己呢？却连一双这样的皮鞋都舍不得买。不过还好，她有一个幸福的家庭，有一位优秀并深爱自己的丈夫。日子虽然贫穷，却也充实而快乐。

今天她的心情很好。所以当那个男人要她帮忙试一下皮鞋时，她很愉快地答应了——尽管她认为眼前的男人是多此一举（duō cǐ yī jǔ）[1]。鞋子不是衣服，只要两个人身材相像，肤色接近，那么，一件衣服一个人穿上好看，另一个也肯定差不到哪里去。但鞋子却不同，两双看上去一模一样的脚穿了同一双鞋子，感觉肯定不同——你合脚并不代表她同样合脚。可是那个男人的表情是那样的虔诚（qiánchéng）[2]，她不忍心让他失望。

那是一双精致漂亮的皮鞋，鞋面上装饰着两只蝴蝶造型的亮晶晶的金属花。这双鞋没有任何问题，便宜处理只是因为鞋码不全，这是这个鞋码的最后一双。女人一边试鞋一边问他："给爱人买的吗？"他脸红了，说："给别人捎一双。"女人笑了。

鞋子非常合脚，当然只是合她的脚。她将鞋子装好，连同发票一起递给面前的男人。她说："如果回去发现不合脚的话，您还可以回来换；如果换不到合适的尺码，您还可以换成别的款式（kuǎn shì）[3]，或者退掉。"男人却好像非常自信，连说"会合脚"。

---

① 多此一举：做不必要、多余的事情。
② 虔诚：恭敬而且有诚意。
③ 款式：样式。

女人忙了一天，她卖出去很多双皮鞋。那些皮鞋是如此廉价（lián jià）①，可是带给人们的快乐又是如此地丰盈（fēngyíng）（plentiful）。当然女人没有为自己留下任何一双。没有为自己留下一双皮鞋的女人同样是快乐的，因为她为一位陌生的女人试过一双鞋子。她哼着歌，踏着她穿了两年的旧皮鞋，回到了家。

丈夫早已坐在沙发上等她。丈夫盯着她，傻傻地乐。

她不解地看着丈夫，说："你高兴什么呢？"

丈夫说："送你一件礼物。"

他捧出一个包着鲜艳包装纸的盒子。一条橘黄色的彩带在彩盒上打了个十

① 廉价：非常便宜的价格。

字，十字的中心，绽放(zhànfàng)①着一朵用红色彩带扎成的花儿。

那个盒子，像鞋盒一样大小。

女人的心便动了一下。她知道这盒子里面肯定装了一双鞋子，她太了解她的丈夫了。女人拆(chāi)（tear open）着盒子，轻轻地说："你为我买的？怕不合脚呢。"

丈夫说："同事帮我去买的，肯定合脚。"

女人轻轻地笑了。她打开盒子，两只亮晶晶的蝴蝶在鞋面上翩翩起舞(piānpiān qǐ wǔ)②。

女人湿了眼，说："你说得对，这肯定是我最合脚的一双鞋子！"

（根据海亮《最合脚的鞋子》改编）

思考与交流

1. 女人是做什么工作的？她为什么不买新鞋？
2. 女人帮忙试穿的那双鞋是谁为谁买的？

① 绽放：开放。
② 翩翩起舞：轻快地跳着舞。